VICTOR ET IGOR ²

QUE LE MEILLEUR GAGNE !

Les données de catalogage sont disponibles auprès de Bibliothèque et Archives
nationales du Québec et de Bibliothèque et Archives Canada.

Éditrice : Colette Dufresne
Coloration : Maxim Cyr et Salomé Pont

La publication de cet ouvrage a été réalisée grâce au soutien
financier du Conseil des Arts du Canada et de la SODEC.
De plus, les Éditions Michel Quintin reconnaissent l'aide
financière du gouvernement du Canada par l'entremise du
Fonds du livre du Canada pour leurs activités d'édition.

Gouvernement du Québec – Programme de crédit d'impôt
pour l'édition de livres – Gestion SODEC

ISBN 978-2-89762-092-9

Dépôt légal – Bibliothèque et Archives nationales du Québec, 2015
Dépôt légal – Bibliothèque et Archives Canada, 2015

© Copyright 2015

Éditions Michel Quintin
4770, rue Foster, Waterloo (Québec)
Canada J0E 2N0
Tél. :   450 539-3774
Téléc. : 450 539-4905
editionsmichelquintin.ca

1 5 - A P E - 1

Imprimé en Chine

DE LA PART DE TOUT L'ÉQUIPAGE, NOUS VOUS SOUHAITONS LA BIENVENUE.

VEUILLEZ PLACER VOS BAGAGES À MAIN DANS LE COMPARTIMENT DU HAUT.

PORTEZ VOTRE CEINTURE DE SÉCURITÉ EN TOUT TEMPS. SI LA CONSIGNE S'ALLUME, VEUILLEZ RETOURNER À VOTRE SIÈGE.

SI LE MASQUE D'OXYGÈNE SE DÉCLENCHE...

...PLACEZ-LE SUR VOTRE BOUCHE ET AJUSTEZ-LE.

METTEZ TOUJOURS VOTRE MASQUE AVANT D'AIDER QUELQU'UN D'AUTRE.

UN GILET DE SAUVETAGE EST À VOTRE DISPOSITION SOUS VOTRE SIÈGE.

VOUS TROUVEREZ DES SORTIES DE SECOURS...

NOUS ALLONS BIENTÔT DÉCOLLER. IL EST TEMPS DE RANGER VOS APPAREILS ÉLECTRONIQUES.

CEUX-CI POURRONT ÊTRE UTILISÉS DURANT LE VOL, MAIS LA FONCTION SANS FIL DEVRA ÊTRE DÉSACTIVÉE.

TOKYO, JAPON

LA FAMILLE DE **VICTOR**

BIENVENUE AU JAPON! NOUS SOMMES HONORÉS DE VOUS RECEVOIR.

DOMO ARIGATO!

DOMO ARIGATO, MISTER ROBOTO.

DOMO.

DOMO.

DOMO.

JE SUIS BLOB, LE MAÎTRE DE CÉRÉMONIE.

EN TOUT TEMPS, SI VOUS AVEZ BESOIN D'AIDE, VOUS N'AVEZ QU'À LA DEMANDER À N'IMPORTE QUEL BLOB.

À VOTRE SERVICE!

TU AS VU, CE SONT DES CLONES!

ILS NE SONT PAS TRÈS COMIQUES POUR DES CLOWNS...

CLONES, PAS CLOWNS.

VENEZ, JE VOUS CONDUIS À VOTRE HÔTEL. VOUS POURREZ VOUS REPOSER UN PEU. LE **DÉCALAGE HORAIRE** RISQUE D'ÊTRE DIFFICILE.

PFFF! LE DÉCALAGE HORAIRE NE NOUS AFFECTE PAS, VICTOR ET MOI. NOUS N'AVONS QU'À AVANCER NOTRE HORLOGE INTERNE...

ET VOILÀ! JE SUIS À L'HEURE DE TOKYO!

EUH... VICTOR?

TU T'ES TROMPÉ: CE SONT LES HEURES QU'IL FALLAIT AVANCER, PAS LES ANNÉES!

QU'EST-CE QUE TU DIS?

ERNEST ET MOI DEVRONS ASSISTER À PLUSIEURS CONFÉRENCES DURANT NOTRE SÉJOUR. POUR VOUS AIDER À PASSER LE TEMPS, ON A DÉCIDÉ DE VOUS OFFRIR...

... DES GYROPODES!

MERCI!

MERCI!

MERCI!

MERCI!

MERCI!

LA CLASSE!

OUAIS! ON EST **TOP** COOL!

CE N'EST PEUT-ÊTRE PAS TOUT-TERRAIN PAR CONTRE...

J'AI EU UNE IDÉE DE GÉNIE. QUE DIRAIS-TU D'AJOUTER DES TAPIS ROULANTS SUR NOS GYROPODES? COMME ÇA, ON FERAIT DE L'EXERCICE TOUT EN SE DÉPLAÇANT.

TU NE PENSES PAS QUE CE SERAIT PLUS **SIMPLE** DE **MARCHER**?

JE SAIS QUE TU L'AIMES BEAUCOUP, TON NOUVEAU JOUET, MAIS LÀ, TU EXAGÈRES UN PEU, NON?

MAIS NON.

DATTEBAYO*!

IGOR!

AH!

C'EST QUOI TOUT CE DÉSORDRE?

CE N'EST PAS MOI, C'EST LUI!

* « DATTEBAYO » EST UN TERME JAPONAIS QUE NARUTO UTILISE SOUVENT EN FIN DE PHRASE DANS LA VERSION ORIGINALE.

JEUNES INVENTEURS

BIENVENUE À L'EXPOSITION DES JEUNES INVENTEURS. CHAQUE ANNÉE, UNE CENTAINE DE JEUNES DE TOUS LES COINS DU MONDE VIENNENT NOUS PROPOSER DES INVENTIONS INNOVATRICES QUI REPRÉSENTENT LE FUTUR EN TECHNOLOGIE.

SI J'AVAIS SU, JE ME SERAIS BIEN INSCRIT. J'AI LA TÊTE PLEINE D'IDÉES!

JE VOUS PRÉSENTE MON INVENTION QUI S'APPELLE «LE PAIN À L'AIR». CE GRILLE-PAIN TRANSPARENT PERMET DE VOIR LES RÔTIES EN TRAIN DE CUIRE. AINSI, VOUS POUVEZ LES BRONZER À VOTRE GOÛT!

MAIS C'EST RIDICULE, CE TRUC!

NE VOUS ÉPUISEZ PLUS À SOUFFLER SUR VOS PÂTES POUR LES REFROIDIR. DORÉNAVANT, LE «REFROIDINOUILLES» FERA LE TRAVAIL À VOTRE PLACE.

GRRR.

CE SERAIT LE CADEAU DE FÊTE IDÉAL POUR IGOR!

weeeeeeee

VOUS DÉTESTEZ FAIRE LE MÉNAGE? NOUS AVONS ICI DES PANTOUFLES VADROUILLES! PLUS AUCUN PAS DANS LA MAISON NE SERA GASPILLÉ!

TOUT LE MONDE CONNAÎT L'INTELLIGENCE ARTIFICIELLE. MOI, JE VOUS PRÉSENTE L'INTELLIGENCE SUPERFICIELLE.

C'EST LAID CE QUE TU PORTES!

EUH... VICTOR! QU'EST-CE QUE TU FAIS ICI?

JE NE SAVAIS PAS QUE TU T'ÉTAIS INSCRIT. J'AURAIS AIMÉ PARTICIPER, MOI AUSSI. QU'EST-CE QUE TU PRÉSENTES COMME INVENTION?

IGOR, C'EST LE PLUS **BEAU** DES ROBOTS.

COMME CLONAGE, C'EST RATÉ. PAS DE DANGER QUE JE DISE ÇA UN JOUR!

J'Y SUIS PEUT-ÊTRE ALLÉ UN PEU FORT...

AVÉ **IGOR**.

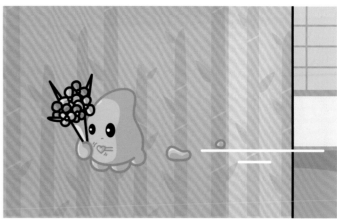

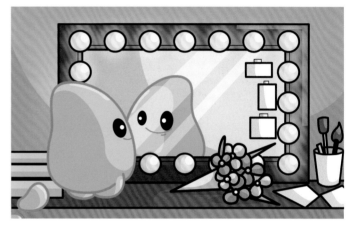

POW!
POW!

IGOR! IGOR! VIENS VOIR!
C'EST FOU, LE ROBOT S'EST
TRANSFORMÉ EN VOITURE!

TU SAVAIS QUE NOUS
AUSSI, ON POUVAIT
SE TRANSFORMER?

AH OUI?

OUI, TU N'AS
QU'À DIRE :

MÉTAMORPHOSE
ACTIVÉE!

AVEC
UN OU DEUX
SUCRES?

QUELLE OPTION
DÉCEVANTE!

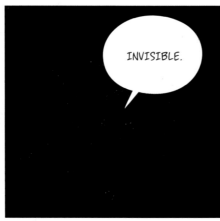

VICTOR, C'EST À TON TOUR.

BONJOUR, POURRAIS-TU TE PRÉSENTER ET NOUS DIRE QUELLES SONT TES CAPACITÉS ?

OK, EH BIEN JE M'APPELLE VICTOR, MON ACTIVATION EST TOUTE RÉCENTE, JE SUIS ENCORE EN MODE D'APPRENTISSAGE POUR DEVENIR LE FILS PARFAIT.

D'ACCORD, VICTOR. MAINTENANT MONTRE-NOUS CE DONT TU ES CAPABLE.

E SUIS A-ACABLE DE TOUSSER MON OU-DE A-EC MA AN-GUE.

SAVAIS-TU QU'IL POUVAIT TOUCHER SON COUDE AVEC SA LANGUE ?

NON !

TOUT CELA EST BIEN BEAU, MAIS ON VEUT SAVOIR QUELLES SONT LES FONCTIONS POUR LESQUELLES TU AS ÉTÉ PROGRAMMÉ.

MERCI, VICTOR, CE SERA TOUT. **AU SUIVANT !**

CONTENT ?

OUI, JE ME SUIS DONNÉ CORPS ET ÂME.

JUSTEMENT, TU EN AS OUBLIÉ UN BOUT SUR SCÈNE !

OUPS !

IGOR VS IRON MAN

DANS LE PROCHAIN COMBAT, IGOR DEVRA AFFRONTER IRON MAN.

WAOUH! JE VAIS ENFIN RENCONTRER TONY STARK, MON HÉROS!

OH! JE SUIS UN PEU DÉÇU...

J'AVOUE, MOI AUSSI...

OLÉ!

AHHH!!! C'EST CHAUD, C'EST CHAUD!

TSSS!

AH!

BAMM

TSSS!

APPLAUDISSEZ **IGOR**, LE GRAND GAGNANT DE CE MATCH!

NON, NON, NON. CE SOIR, TU ES EN CONGÉ. C'EST MOI QUI M'OCCUPE DU SOUPER.

POUDRE DE MOUTARDE.

MÉLASSE.

CARAMEL.

INTESTINS SÉCHÉS.

POUDRE DE CHILI.

CHEF VICTOR, À VOTRE SERVICE !

PIEUVRE.

ŒUFS.

CHOUCROUTE.

CERVELLE.

LANGUE DE PORC.

ON MET LE TOUT DANS UNE MARMITE !

OUPS !

NI VU NI CONNU.

ET ON AJOUTE ENCORE DU SEL...

SEL

ON PORTE LE TOUT À DÉMOLITION.

LE SOUPER EST SERVI !

C'EST QUOI DÉJÀ, LE NUMÉRO DU RESTAURANT DE SUSHIS ?

BIP

BIP

DEMAIN, NOUS DEVONS NOUS RENDRE EN BANLIEUE DE TOKYO POUR VISITER UNE MANUFACTURE DE PIÈCES. NOUS SERONS PARTIS DEUX JOURS. EST-CE QU'ON PEUT VOUS LAISSER SEULS, SANS SUPERVISION?

MAIS BIEN SÛR!

VOICI LE NUMÉRO OÙ VOUS POURREZ NOUS JOINDRE EN TOUT TEMPS. EN CAS D'URGENCE, ON RENTRE IMMÉDIATEMENT.

D'AC!

AAAHHH!

ROARRRR

AH!

AHHH!

Aïe! Aïe! Aïe!

ARRIVES-TU À TE CONNECTER À INTERNET, TOI?

NON.

ERNEST? REVENEZ VITE, ON A PERDU LA CONNEXION INTERNET!

NOUS SOMMES HEUREUX DE VOUS PRÉSENTER VICTOR. ÉQUIPÉ DE BRAS ET DE JAMBES RÉTRACTABLES ET D'UNE VISION À RAYONS X, NOTRE ROBOT S'EST TRÈS RAPIDEMENT ADAPTÉ À SON NOUVEL ENVIRONNEMENT. IL FAIT MAINTENANT PARTIE DE LA FAMILLE.

CLAP!
CLAP!
CLAP!
CLAP!
CLAP!
CLAP!

ET MAINTENANT, AU TOUR DU DOCTEUR GREY, QUI A REMPORTÉ LA PREMIÈRE PLACE LES TROIS ANNÉES PRÉCÉDENTES.

VOICI DONC BRUCE LA BRUTE 4.2. IL EST MUNI D'UNE VISION LASER, D'UN SOURIRE CHARMEUR ET D'UNE IMBATTABLE RAPIDITÉ DE TRAITEMENT DES DONNÉES. CETTE NOUVELLE VERSION PEUT LEVER JUSQU'À 200 FOIS SON PROPRE POIDS!

TU N'AS AUCUNE CHANCE, PETIT MINABLE.

AU TOUR DE...

HÉ! CE N'EST PAS GENTIL DE DIRE ÇA!

AUSSI BIEN FAIRE TES VALISES, MINUS. J'ÉCRASE LA CONCURRENCE CHAQUE ANNÉE. TU N'ES QU'UN MODÈLE DE BASE. PERSONNE NE VEUT D'UN PETIT CHÉTIF COMME TOI.

AH!

FÉLICITATIONS À NOS EUH... GAGNANTS!

POC! POC! POC!

JE NE SUIS PEUT-ÊTRE PAS ARRIVÉ PREMIER, MAIS AU MOINS BRUCE SERA BON DERNIER!